Rap Poké

Je sais que je peux être le meilleur sur Terre
Tous les autres dresseurs peuvent faire leur priè
Je les attraperai, oui, oui, je le ferai!
Pokémon, je suivrai le chemin.
Tout mon pouvoir
Est entre mes mains
Grâce à tous mes efforts
Il me faut tous, tous, tous, les attraper
Il me faut tous, tous, tous, les attraper
J'en aurai plus de 150 à reconnaître
Et de tous ces Pokémon je deviendrai le maître
Je veux vraiment tous les attraper
Attraper tous les Pokémon
Je veux vraiment tous les attraper
Attraper tous les Pokémon
Je veux vraiment tous les attraper
Attraper tous les Pokémon

Peux-tu nommer les 150 Pokémon?

**Voici les trente-deux premiers Pokémon.
Consulte le livre n° 6
Vas-y, Charizard!
pour la suite du rap Poké.**

Electrode, Diglett, Nidoran, Mankey
Venusaur, Rattata, Fearow, Pidgey
Seaking, Jolteon, Dragonite, Gastly
Ponyta, Vaporeon, Poliwrath, Butterfree

Venomoth, Poliwag, Nidorino, Golduck
Ivysaur, Grimer, Victreebel, Moltres
Nidoking, Farfetch'd, Abra, Jigglypuff
Kingler, Rhyhorn, Clefable, Wigglypuff

Il y a d'autres romans jeunesse
sur les Pokémon.

Collectionne-les tous!

1. Je te choisis!

2. L'Île des Pokémon géants

3. L'attaque des Pokémon préhistoriques

4. Une nuit dans la Tour hantée

5. Team Rocket à l'attaque!

Et bientôt...

6. Vas-y Charizard!

Team Rocket à l'attaque!

Adaptation : Tracey West
Adaptation française : Le Groupe Syntagme inc.

Les éditions Scholastic

Pour toute information concernent les droits, s'adresser à Scholastic Inc., 557 Broadway, New York, NY 10012, É.-U.

Copyright © Nintendo, Creatures, Game Freak, 1995, 1996, 1998.
mc et ® sont des marques de commerce de Nintendo. Copyright © Nintendo, 1999. Copyright © Les éditions Scholastic, 1999, pour le texte français.
Tous droits réservés.

ISBN-10 0-439-98578-1

ISBN-13 978-0-439-98578-9

Titre original : Pokémon — Team Rocket Blasts Off!

Édition publiée par les Éditions Scholastic, 604, rue King Ouest, Toronto (Ontario) M5V 1E1, Canada.

6 5 4 3 2   Imprimé au Canada   08 09 10 11 12

Le monde des Pokémon

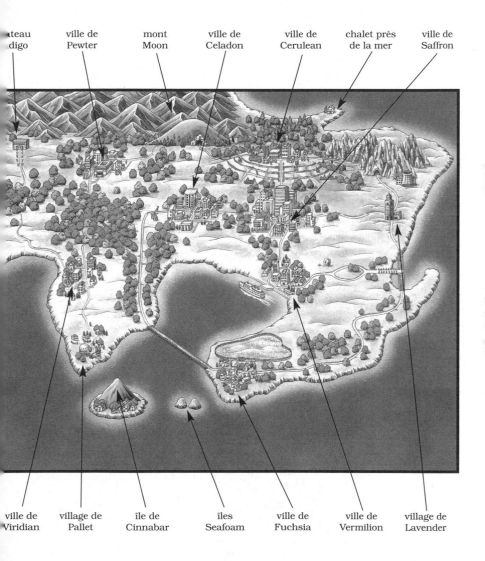

ateau digo

ville de Pewter

mont Moon

ville de Celadon

ville de Cerulean

chalet près de la mer

ville de Saffron

ville de Viridian

village de Pallet

île de Cinnabar

îles Seafoam

ville de Fuchsia

ville de Vermilion

village de Lavender

La Surprise des espions

Il y a deux types de personnes dans le monde.

Les personnes qui se battent pour attraper des Pokémon sauvages et qui travaillent dur pour les dresser.

Et les personnes qui tentent de voler des Pokémon sans trop se forcer.

De tous les voleurs de Pokémon du monde, les membres de Team Rocket sont les pires.

Jessie est aussi méchante que ses cheveux sont rouges.

Le nom de James est synonyme d'ennuis — et il en est fier.

Leur Pokémon, Meowth, est le complément parfait de cette paire de piqueurs de Pokémon.

Team Rocket est à la recherche de Pokémon rares à voler. Jessie et James veulent capturer une de ces créatures fantastiques et la rapporter à leur patron, Giovanni.

Mais il y a un Pokémon qu'ils veulent voler par-dessus tout : Pikachu — un Pokémon électrique qui ressemble à une souris jaune.

Pikachu est doté de pouvoirs électrisants.

Naturellement, il existe des milliers de Pikachu dans le monde, mais il n'y en a qu'un qui fait l'envie de Team Rocket : le Pikachu qui appartient à Ash Ketchum, un entraîneur de Pokémon.

Team Rocket sait que le Pikachu de Ash est spécial. James et Jessie sont prêts à tout pour kidnapper la souris électrique.

Leurs tentatives pour voler Pikachu les amènent dans la ville de Viridian. Une fois là, ils espionnent Ash et ses amis en se cachant sur le toit d'un édifice à bureaux.

« Voyons ce que fait le minus », déclare James en regardant avec les jumelles.

Jessie lui arrache les jumelles des mains. « Laisse-moi regarder, dit-elle. Tu fais tout de travers. »

Meowth, un Pokémon blanc qui ressemble à un chat, hoche la tête en les regardant. « Moins fort, vous deux, dit-il. Nous pourrions peut-être apprendre quelque chose d'intéressant. »

Ash et Pikachu sont en bas dans la rue, devant le gymnase de la ville de Viridian. Ash parle à ses amis Misty et Brock. Misty tient dans ses bras un tout petit Pokémon appelé Togepi. Ce bébé Pokémon est sorti d'un œuf que Ash a trouvé. Une partie de la coquille n'est toujours pas tombée, et de minuscules bras et jambes en sortent.

Ash regarde le gymnase. De hautes colonnes blanches flanquent les portes du gymnase. Les murs de marbre blanc luisent dans la lumière de cette fin d'après-midi.

« Si je peux battre le chef de ce gymnase, j'obtiendrai un écusson de terre, s'exclame Ash avec enthousiasme. Comme dresseur de Pokémon, il me faut tous les écussons possibles!

— Es-tu certain que tu peux y arriver? demande Misty. On dit que le chef de gym ici est un dur à cuire! »

Pikachu se dresse aux côtés de Ash. « *Pika! Pika pika pi!* » s'écrie Pikachu.

Ash comprend la langue de Pikachu. « Pikachu dit que je peux y arriver!

— C'est *vrai* que tu as appris beaucoup de choses depuis que tu as entrepris ton voyage d'entraîneur de Pokémon, admet Brock. Je crois que Pikachu a raison. »

Ash se penche sur Pikachu. « Avec un ami comme toi pour me soutenir, comment pourrais-je perdre? »

Sur le toit, Jessie lève les yeux au ciel. « Ces deux-là sont si mignons qu'ils m'énervent.

— Oui, je pense que je vais perdre mon déjeuner, renchérit James.

— Moi aussi, ajoute Meowth. Sauf que... je n'ai pas déjeuné aujourd'hui. Avez-vous oublié? Nous sommes encore à court d'argent! »

L'estomac de Jessie gronde. « Tu n'as pas besoin de me le rappeler. Il faut trouver rapidement un Pokémon rare pour le patron si nous voulons avoir un chèque de paie.

— Peut-être que nous pourrions tout simplement foncer et attraper Pikachu, suggère James.

— *Meowth!* Quelqu'un vient! » dit Meowth, en pointant le trottoir en bas.

Une décapotable rutilante s'engage dans la rue. Un grand garçon aux cheveux bruns ondulés est assis sur le siège arrière. Des meneuses de claque l'entourent, elles crient et agitent leurs gros pompons.

« Gary! Gary! Il n'y en a pas comme lui! Gary! Gary! C'est un génie! »

Gary descend de la voiture. Il marche d'un pas assuré vers les portes du gymnase et parade devant Ash.

« Tu joues encore à la poupée avec tes petits amis Pokémon, Ash? » demande-t-il d'un air arrogant.

Ash rougit un peu et pose Pikachu par terre.

« Je pensais que tu avais finalement abandonné l'idée d'attraper et d'entraîner des Pokémon, poursuit Gary. Je croyais que tu étais retourné à la maison. Mais on dirait que tu t'accroches. Il y en a qui ne savent pas s'arrêter! »

Ash serre les poings. « Tu ferais mieux d'arrêter de m'embêter, répond-il d'un ton fâché. Sinon...

— Sinon quoi? » rétorque Gary.

Brock tire Ash par le bras.

« Laisse-le parler, Ash, dit Brock. N'oublie pas que tu es ici pour obtenir ton écusson de terre.

— C'est ce que tu crois! réplique Gary. Mais il n'y a que les vrais entraîneurs de Pokémon qui peuvent se battre dans ce gymnase. »

Gary se retourne et frappe à l'une des grandes portes blanches. Les portes s'ouvrent brusquement, et deux gardes portant des casques et des plastrons de bronze comme les anciens Romains en sortent.

« Je m'appelle Gary, je viens du village de Pallet. J'aimerais me battre contre le chef de ce gym », demande Gary.

Les gardes hochent la tête et se rangent. Gary passe les portes, suivi de ses admiratrices.

« À plus tard, pauvre type! » lance Gary avant de disparaître à l'intérieur du gymnase. Ash attrape Pikachu et court vers les gardes. « Je veux

me battre, moi aussi. »

Mais les gardes lui bloquent l'entrée.

« Un seul entraîneur dans le gymnase à la fois, grogne un des gardes, qui n'a pas l'air commode.

— Mais il faut absolument que j'entre! implore Ash. Il me faut un écusson de terre.

— C'est le règlement », réplique l'autre garde.

Et ils referment les lourdes portes au nez de Ash.

Ash redescend l'escalier. « Si je ne fais pas quelque chose au plus vite, Gary va arriver avant moi! »

Misty hoche la tête. « Youhou, Ash! dit-elle. Gary est déjà arrivé avant toi! »

Ash grogne et se cache le visage dans ses mains.

« Hé! doucement avec Ash, il a une dure journée, dit Brock à Misty.

— Je ne fais que lui dire la vérité », soupire Misty.

Togepi saute des bras de Misty. Le minuscule Pokémon monte sur les genoux de Ash et lui tape doucement sur l'épaule.

Ash, pensant qu'il s'agit de Pikachu, dit : « Oh, Pikachu, tu es vraiment le seul qui ne m'abandonne

jamais, quelle que soit la situation. »

Ash enlève la main de son visage et voit Togepi devant lui.

Étonné, il bondit sur ses pieds et, sans le faire exprès, projette Togepi en l'air. Au même instant, sur une corniche tout près, un Fearow sauvage, un Pokémon volant, pousse un énorme bâillement. Togepi atterrit dans son grand bec!

« Togepi! Non! » s'écrie Misty.

Le Fearow s'envole et se rapproche de l'endroit où Team Rocket est caché pour espionner.

James est installé sur le toit avec les jumelles.

« Qu'est-ce qui se passe? demande Jessie. Pourquoi sont-ils tous si énervés?

— Je ne suis pas certain, répond James. Tout se passe si... *aïe!* »

Le Fearow laisse tomber Togepi, qui atterrit sur la tête de James et rebondit en sécurité sur le toit.

James fixe le Pokémon d'un air étonné.

« On dirait qu'il pleut des Pokémon rares! s'exclame Meowth.

— Ce n'est pas Pikachu, dit James. Mais c'est mieux que rien. »

Les yeux gris de Jessie brillent de convoitise. Elle étend le bras pour attraper Togepi.

« Mon beau petit Togepi, dit-elle d'une voix douce. Notre patron va être très heureux de te rencontrer! »

Un cadeau pour le patron

« *Togi! Togi!* » Togepi se libère des bras de Jessie.

Le minuscule Pokémon trottine sur le toit. Tout au bout, une mince planche de bois mène au toit de l'immeuble voisin. La planche se trouve à dix mètres au-dessus de la rue.

Togepi se dirige droit vers la planche.

« Arrêtez ce Pokémon! » s'écrie Jessie.

Trop tard! Togepi s'engage sur la mince planche et commence à traverser vers l'autre toit.

« Togepi, non! Arrête! » lui ordonne Jessie.

« *Togi!* » Togepi sautille joyeusement sur la planche, comme s'il n'entendait pas Jessie.

Jessie se met à quatre pattes.

« Je ne vais tout de même pas laisser un Pokémon rare se sauver sans rien faire », dit-elle. Puis, d'une voix sirupeuse, elle ajoute : « Togepi, j'arrive à ta rescousse! »

Jessie rampe lentement sur la planche. Le bois craque sous son poids.

« Reviens ici! lui crie James. Tu vas tomber!

— Tu vas t'écrabouiller sur le pavé, ajoute Meowth.

— Ah, taisez-vous! répond Jessie. J'y suis presq... »

Crac! La planche éclate sous elle.

Jessie plonge vers la rue.

« N'aie pas peur! » s'écrie James. Avec Meowth, il descend quatre à quatre les marches de l'immeuble. Ils étendent les bras, prêts à attraper Jessie.

Boum! Ils la ratent, et Jessie atterrit dans un tas de déchets à côté.

James accourt vers elle. « Jess, ça va? »

Jessie se débarrasse d'une pelure de banane qui lui couvre le visage. « Ça va très bien, et tu n'y es pour rien! dit-elle, avec colère. Je suis assise sur un tas de déchets et j'ai perdu Togepi. À part ça, ça va très bien. »

Au-dessus d'eux, Togepi bondit du toit...

... et atterrit sur la tête de Jessie!

Jessie reste étourdie pendant une seconde, puis elle attrape prestement Togepi et sourit.

« Tu ne vas pas te sauver, cette fois! » dit Jessie. Elle descend du tas de déchets. « Nous t'amenons au patron. »

Meowth renifle l'air. « Tu devrais peut-être commencer par prendre une douche », dit le Pokémon.

Jessie lui jette un regard mauvais.

« Simple suggestion », dit Meowth d'un ton pacifique.

Jessie, James et Meowth retournent au gymnase de la ville de Viridian. Une porte noire ordinaire marque l'entrée secrète du gymnase — à l'usage exclusif des hommes de main de Giovanni.

James entre le code secret, et s'engage dans le corridor. Deux gardes sont plantés devant la porte du bureau de Giovanni.

« Nous sommes ici pour voir le patron, annonce James.

— Nous avons quelque chose pour lui, ajoute Jessie.

— Le patron est dans le gymnase », répond simplement un des gardes.

L'autre garde pouffe de rire. « Ouais, il fait de la chair à pâté avec un autre entraîneur de Pokémon. »

Plus loin dans le corridor, une porte qui mène au gymnase s'ouvre. Giovanni apparaît. « C'est comme ça quand on essaie de se battre contre mon arme secrète! dit Giovanni à quelqu'un dans le gymnase. J'ai le Pokémon le plus puissant. Personne ne pourra jamais me vaincre!

— De quoi parle-t-il? chuchote James à Jessie.

— Je ne sais pas, réplique Jessie. Mais ça ne fait rien. Le patron va oublier son puissant Pokémon lorsqu'il verra Togepi. »

Giovanni passe à côté d'eux et entre dans son bureau.

« Vous pouvez entrer maintenant », dit l'un des gardes.

Jessie tient Togepi derrière son dos. Elle veut que le Pokémon rare soit une surprise pour le patron.

Jessie, James et Meowth entrent dans le bureau de Giovanni. Le patron est assis derrière un grand bureau. Son visage sévère semble avoir été taillé dans la pierre. Sur ses genoux est assis un Persian, un Pokémon qui ressemble à un chat de race.

« Faites ça vite, ordonne le patron.

— Monsieur, nous avons enfin capturé un

Pokémon spécial. Nous croyons que vous allez vraiment l'adorer, dit Jessie, d'un ton enthousiaste.

— C'est un Pokémon encore plus rare que ce Pikachu que vous voulez tant, renchérit James.

— En plus, il est très mignon! » ajoute Meowth.

Giovanni jette un regard féroce au trio. « Mais de quoi parlez-vous, bande d'abrutis?

— Nous vous apportons un Pokémon rare et précieux », dit Jessie. Elle ramène devant elle Togepi qu'elle gardait derrière son dos. « C'est Togepi! »

Giovanni fixe le minuscule Pokémon dont le corps est à moitié emprisonné dans une coquille d'œuf. Il fronce les sourcils.

« À quoi sert cette chose, exactement? » demande-t-il.

Jessie commence à être un peu nerveuse.

« Euh, à quoi sert Togepi?

— Euh, eh bien... marmonne James.

— Bonne question! » conclut Meowth.

Jessie plante Togepi sur le bureau de Giovanni. « C'est un magnifique presse-papiers! » avance-t-elle.

Giovanni devient rouge comme une pivoine.

« Bande de fous! Vos recherches durent depuis des mois, et c'est ça que vous me rapportez? » hurle-t-il.

Giovanni frappe du poing sur son bureau. Apeuré, Togepi saute sur le plancher.

Le Persian saute des genoux de Giovanni. D'un air blasé, il traverse la pièce et se dirige vers la porte du bureau, puis disparaît dans le corridor.

Giovanni est trop en colère pour le remarquer.

« Vous êtes de parfaits incompétents! » beugle-t-il.

Jessie, James et Meowth tentent de s'excuser.

C'est le téléphone qui vient à leur secours!

Giovanni décroche. « Qu'est-ce qui s'est passé? » Il a l'air préoccupé. « J'arrive. »

Il raccroche et regarde Team Rocket. « Mon meilleur Pokémon a un problème. Il faut que j'y aille », dit-il. Il soupire. « Je n'ai pas le choix, je

vous nomme responsables du gymnase. »

Giovanni ouvre un des tiroirs de son bureau. Il en sort trois Poké Balls rouge et blanc. À l'intérieur des balles se trouvent des Pokémon qui peuvent être utilisés dans des batailles contre des entraîneurs de Pokémon.

Le patron lance les balles à Jessie, James et Meowth.

« Utilisez ces Pokémon pour protéger le gymnase en cas de besoin », dit-il. Puis il sort vite de son bureau.

Jessie, James et Meowth se regardent les uns les autres sans y croire.

« Nous trois... commence Jessie.

— Responsables... continue James.

— Du gymnase? » termine Meowth.

Les trois voleurs de Pokémon hurlent et sautent de joie.

« Ça veut dire que nous sommes des chefs de gym! » s'exclame Jessie.

À nouveau, les trois compères hurlent de joie. Ils sont si occupés à célébrer qu'ils ne se rendent pas compte que Togepi est sorti par la porte restée ouverte.

Togepi s'est sauvé!

3

Pris au piège!

C'est Meowth qui s'en rend compte le premier.

« Euh, je crois que nous avons un problème », dit-il.

Jessie et James sont occupés à se féliciter.

« Comment ça, un problème? demande Jessie. Nous sommes les chefs de gym maintenant!

— C'est bien vrai! renchérit James. Si les entraineurs de Pokémon veulent gagner un écusson de terre, ils devront tout d'abord nous vaincre. Ce sera tellement amusant de voir leurs misérables petits Pokémon se faire écraser.

Meowth montre la porte du doigt.

« Nous avons un autre genre de problème, dit Meowth. Togepi s'est sauvé!

— Qui se soucie de Togepi? répond Jessie. De toute façon, le patron n'a pas aimé ce petit moins que rien.

— Mais Ash et ses amis aiment Togepi, lui rappelle Meowth. Nous pourrions utiliser Togepi pour capturer Pikachu. »

James réfléchit. « Et cela rendrait vraiment le patron heureux », ajoute-t-il.

Jessie est d'accord. « Il faut le retrouver. Cette omelette sur pattes ne peut pas être allée bien loin.

— *Ensuite*, nous irons dans le gymnase et nous commencerons à nous battre! » conclut James.

Le gymnase de la ville de Viridian est un gros édifice. Jessie, James et Meowth en parcourent tous les corridors. Togepi reste introuvable.

« Togepi! Tu nous manques tellement! » crie Jessie de sa voix faussement douce.

« Nous t'aiderons à retrouver ton abruti de maître — je veux dire Ash », crie James.

Togi, Togi.

« J'ai entendu quelque chose! dit Jessie.

— On aurait dit Togepi », reconnaît James.

23

Meowth tourne un coin. « Je crois que ça vient de là. »

Jessie et James suivent Meowth dans un couloir qui mène à une porte entrouverte.

« Togepi doit avoir passé cette porte! » s'écrie Jessie.

James et Meowth suivent Jessie, qui pousse la porte. Celle-ci donne sur un escalier qui descend. Les vieilles marches de bois craquent sous leurs pas.

Sans avertissement, la porte se referme brutalement derrière eux.

Meowth sursaute et manque une marche. Le Pokémon tombe sur Jessie et James. Ceux-ci perdent l'équilibre, et les trois amis déboulent l'escalier et atterrissent lourdement sur le palier.

Jessie se frotte un coude. « Fais attention, espèce de maladroit! gémit-elle.

— *Meowth!* Nous avons besoin d'un peu de lumière ici », répond Meowth. Dans le noir, il peut distinguer une ficelle qui pend du plafond. Le Pokémon tire dessus pour allumer une ampoule qui répand une faible lumière. Les membres de Team Rocket regardent autour d'eux. Ils sont dans une cave. Des boîtes de rangement sont alignées le long des murs de béton gris. Dans un coin, il y a un terminal d'ordinateur.

Jessie donne distraitement des coups de pied aux boîtes.

« Je ne vois Togepi nulle part, se plaint-elle.

— C'est inutile, dit James. Retournons au gymnase et commençons à nous conduire en chefs de gym. »

James remonte l'escalier branlant en courant. Il attrape la poignée de la porte et tire.

« C'est bien notre chance, dit-il. Elle est coincée. »

Jessie le pousse. « Laisse-moi faire, espèce de sans-force. » Elle met la main sur la poignée de la porte et tire aussi fort qu'elle le peut. La poignée lui reste dans les mains.

Jessie donne des coups de pied sur la porte avec ses longues bottes noires. James cogne sur la porte avec ses poings.

Mais c'est inutile. La porte reste close.

« Bravo, dit Meowth, par votre faute, nous sommes pris au piège! »

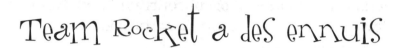

4

Team Rocket a des ennuis

Jessie se retourne d'un bond. « Qu'est-ce que tu veux dire, par *notre* faute? » demande-t-elle, les yeux brillants de colère.

« C'est vrai, dit James. C'est plutôt par ta faute que nous sommes enfermés ici.

— Mais j'essayais seulement de trouver Togepi, proteste Meowth. C'est vous qui avez laissé Togepi se sauver.

— *Nous!* hurle Jessie. C'est *toi* qui devais surveiller Togepi.

— En fait, Jess, dit James, c'est toi qui avais Togepi dans les bras la dernière. » Il sourit.

« J'imagine qu'en fait, tout *est* de ta faute! »

Jessie traverse bruyamment la pièce.
« Premièrement, si je n'avais pas risqué ma vie
sur le toit, nous n'aurions même pas capturé
Togepi! Parfois je me demande ce que je fais avec
deux poules mouillées comme vous.

— Poules mouillées? Tu nous as traités de
poules mouillées? » hurle James. Lui et Jessie
sont nez à nez.

« Ça suffit! intervient Meowth. Pendant que
vous vous disputez, Togepi court toujours. Nous
devons trouver une façon de sortir d'ici. »

Jessie et James se séparent.

Jessie respire profondément. « Meowth a
raison », dit-elle.

James approuve. « Mais comment faire pour
sortir d'ici? »

Meowth pointe l'ordinateur du doigt. « Peut-être
que ceci pourrait nous aider. »

James le regarde sans comprendre. « Qu'est-ce
qu'on est supposé faire? Jouer à des jeux sur
l'ordinateur, jusqu'à ce que quelqu'un nous
vienne en aide? »

Jessie lève les yeux au ciel. « Mais non, sans-
cervelle, cet ordinateur est probablement relié au

système d'exploitation du gymnase. Il contient peut-être un plan de l'édifice. De cette façon, on saura comment sortir.

— Mais bien sûr, réplique James d'un ton gêné, je blaguais. »

Jessie s'approche de l'ordinateur et l'allume. Le logo de Team Rocket apparaît à l'écran.

« Voici un menu de tous les fichiers que contient l'ordinateur, dit Jessie, en appuyant sur un bouton.

— Je ne vois rien concernant les plans de l'immeuble, fait remarquer James.

— Voici quelque chose d'intéressant! » dit Meowth en pointant des éléments du menu. On peut lire **JESSIE, JAMES ET MEOWTH.**

« C'est un dossier sur nous, s'exclame Jessie.

— Je vois bien ça, réplique James. Mais je me demande pourquoi ton nom est écrit en premier.

— T'en fais pas, James, le console Jessie. C'est probablement parce qu'ils nous ont mis par ordre alphabétique.

— Ah, bien sûr! » dit James. Puis ses yeux s'allument. « Mais alors, ça voudrait dire que...

— Arrête de gémir et voyons ce que ça dit! » le coupe Meowth, en appuyant sur la touche « Retour ».

Des photos de Jessie, James et Meowth apparaissent à l'écran.

JAMES : POURRAIT ÊTRE RUSÉ S'IL N'ÉTAIT PAS AUSSI FORMIDABLEMENT STUPIDE.

JESSIE : A UN GRAND POTENTIEL DE MÉCHANCETÉ, MAIS EST TROP ÉGOCENTRIQUE POUR BIEN L'UTILISER.

MEOWTH : CE POKÉMON A L'INCROYABLE CAPACITÉ DE PARLER. MALHEUREUSEMENT, IL NE DIT JAMAIS RIEN D'INTÉRESSANT.

« Non mais, t'as vu? s'exclame Jessie. Le patron trouve que j'ai beaucoup de potentiel!

— Et il me trouve formidable, ajoute James avec fierté.

— Et il dit que je suis incroyable! » se vante Meowth, en lissant sa fourrure.

Ils continuent à lire.

CETTE ÉQUIPE DE TROIS A COMMIS LES GAFFES LES PLUS FAMEUSES DE TOUTE L'HISTOIRE DE L'EMPIRE TEAM ROCKET.

« Wow! Il pense que nous formons une fameuse équipe, dit Jessie.

— Nous sommes une fameuse équipe, Jess, répond James. Nous ne devrions pas tant nous chamailler.

— Vous avez raison! conclut Meowth. Lorsque nous travaillons ensemble, nous pouvons accomplir de grandes choses. En fait, cela me rappelle l'une de nos plus mémorables batailles... »

Une bataille en forêt

« Je n'oublierai jamais la fois où nous espionnions Ash, Misty et Pikachu dans la forêt, commence Meowth. Naturellement, ce sont mes incroyables capacités de pistage qui nous avaient permis de les retrouver.

— Ah, misère! » se plaint Jessie.

Meowth fait semblant de n'avoir rien entendu et poursuit son histoire. « Nous avions réussi à prendre Ash et Misty complètement par surprise. Ils se chamaillaient, comme toujours. Je me souviendrai toujours de la peur sur leur visage, lorsqu'ils nous ont vus atterrir au milieu de la clairière où ils se tenaient. »

« Pikachu était si près de moi, que je n'aurais eu qu'à tendre la main pour l'attraper. Mais les deux sans-génie que vous êtes avaient décidé de faire tout d'abord un combat de Pokémon.

« Jessie a lancé son Ekans. C'était avant que Ekans ait évolué en Arbok. Ekans ressemblait à un énorme serpent mauve, à l'époque.

« James a lancé son Koffing. Depuis ce temps, Koffing a évolué en Weezing, un gros nuage noir empoisonné à deux têtes. Mais en ce temps-là, Koffing avait seulement une tête.

« Même s'ils n'avaient pas encore évolué, ces Pokémon étaient déjà passablement effrayants. Ash était paniqué. Il n'avait jamais connu de vrai combat de Pokémon auparavant.

« Ash était aussi scrupuleux. Vous, vous enfreigniez les règles en lançant deux Pokémon dans la bataille en même temps. Mais Ash ne voulait pas contrevenir aux règles. Il a tenté de commencer la bataille avec Pikachu, mais James l'a arrêté tout de suite. Il a ordonné à Koffing une attaque avec de la boue empoisonnée. Koffing a projeté une boue brune dans les yeux de Pikachu. L'agaçante petite souris électrique n'y voyait plus rien!

« Ash n'avait plus le choix. Il devait se battre avec un Pokémon plus puissant que Pikachu. Il a lancé une Poké Ball, et un Pidgeotto en est sorti.

« Le Pidgeotto de Ash a volé dans les airs en battant de ses ailes vigoureuses. James a ordonné à Koffing une autre attaque à la boue empoisonnée. Koffing a flotté dans les airs et a vaporisé plus de boue vers Pidgeotto, qui a évité l'attaque.

« Puis, Jessie a ordonné à Ekans de mordre Pidgeotto. Ekans a étiré son long cou dans les airs et a refermé sa mâchoire, mais Pidgeotto a évité les crocs de Ekans.

« Ash a ordonné une attaque rapide. Pidgeotto a foncé sur Ekans, toutes serres dehors. Mais Jessie a été plus rapide. Elle a commandé Ekans de se cacher sous terre. Le Pokémon serpent s'est enfoncé dans la terre, avant que Pidgeotto puisse l'attaquer.

« La manœuvre a distrait Pidgeotto. Koffing est arrivé par derrière, et a lancé de la boue et du gaz empoisonnés vers Pidgeotto. La cervelle d'oiseau n'a jamais vu venir l'attaque!

« Pidgeotto a été assommé. Ekans est ressorti de son trou et l'a pris par surprise. Koffing et Ekans se sont rués sur Pidgeotto de toutes leurs forces. Pidgeotto s'est évanoui.

« Ash a dû rappeler Pidgeotto. Pikachu était toujours aveuglé, et il ne restait qu'un seul Pokémon à Ash — un misérable petit Caterpie.

« J'ai tellement ri, lorsque le petit Pokémon insecte est sorti de la Poké Ball de Ash. Il semblait bien que Team Rocket avait sans contredit gagné la bataille.

« Mais même si Ekans et Koffing sont forts, ils n'ont pas l'intelligence d'un Pokémon comme moi. Il faut de la force et de l'intelligence pour battre un Pokémon, même un petit Caterpie.

« Ash a ordonné à Caterpie de lancer un jet de ficelle. Caterpie a ouvert la bouche et a commencé à cracher de la ficelle. Il en a tant craché, que toute la ficelle a recouvert Ekans et Koffing. Ils ne pouvaient plus bouger. Ils étaient hors de combat.

« À ce moment, il semblait bien que Team Rocket avait, sans contredit, perdu la bataille. C'est à ce moment que je suis entré en jeu. J'ai montré à ces misérables insectes de quel bois se chauffe un vrai Pokémon. L'horrible créature n'a jamais vu venir le coup.

« Et c'est comme ça, conclut Meowth avec fierté, que j'ai gagné la bataille contre Ash! »

Jessie tire violemment la queue de Meowth.

« Mais non! s'exclame-t-elle. Ça ne s'est pas passé du tout comme ça!

— Tu as raison, réplique James. Si je me souviens bien, c'est toi que Caterpie a recouvert de ficelle. Nous avons dû te transporter à l'extérieur de la forêt. À cause de toi, nous avions perdu toute chance de capturer Pikachu. »

Meowth rougit un peu. « Hummm, je crois que j'ai oublié cette partie de l'histoire. »

Jessie le regarde d'un air songeur. « Je vais vous raconter une bataille vraiment fantastique, dit-elle. Grâce à moi, nous avions réussi à coincer Pikachu... »

6

Retour en arrière

« Tout a commencé lorsque j'ai eu l'idée d'ouvrir une boutique de haute couture pour Pokémon, se rappelle Jessie. C'était une idée si simple et pourtant si malhonnête. Les entraîneurs de Pokémon nous apportaient leurs créatures, pour les faire habiller de pied en cap. Nous en faisions des bêtes magnifiques.

— Plutôt de magnifiques dégâts, l'interrompt Meowth.

— Tu as droit à ton opinion, rétorque Jessie. En plus, nous faisions une petite fortune. Et nous étions extrêmement bien placés pour voler des Pokémon rares. Si un entraîneur nous

41

apportait un Pokémon, qui valait la peine de piquer, tout ce que nous avions à faire, c'était de distraire l'entraîneur, d'attraper le Pokémon et de quitter la ville.

« Tout se passait comme prévu. Nous avions la boutique la plus courue en ville. Je savais que ce n'était qu'une question de temps, avant que l'on nous apporte un Pokémon rare.

« Un beau jour, nos rêves les plus fous se sont réalisés. Misty, l'insupportable petite amie de Ash, est venue à la boutique avec son petit Pokémon encore plus insupportable qu'elle, Psyduck.

« J'ai sauté sur l'occasion. Misty ne nous avait pas reconnus dans nos déguisements de haute couture. Je savais que si je réussissais à gagner sa confiance, elle pourrait me donner de précieux renseignements qui aurait aider à capturer

Pikachu. Je ne ménageais donc pas mes efforts pour pomponner son Pokémon. Elle a adoré ça. C'était dans la poche.»

— N'oublie pas que j'étais là, moi aussi, interrompt James. J'ai un talent naturel pour la mode, tu sais.

— Ouais, ouais. » Jessie poursuit comme si elle n'avait pas entendu.

« De toute façon, Misty était à un cheveu de nous dire tout ce que nous voulions savoir. Puis, comme d'habitude, Meowth est venu presque tout gâcher.

— Hé! » proteste Meowth.

Jessie dévisage le Pokémon. « Quoi, c'est vrai! Tu t'es échappé et tu as révélé notre véritable identité. Lorsqu'elle a compris que nous étions en réalité Team Rocket, Misty a tenté de se sauver.

« C'est alors que, encore une fois, j'ai réparé les pots cassés. J'ai eu une idée géniale. Je savais que Misty nous serait encore plus utile si on l'utilisait comme appât. Nous l'avons donc ligotée avec une de nos cordes haute couture et avons attendu que Ash tombe dans le panneau.

« Nous n'avons pas attendu longtemps. Ash, Brock et Pikachu sont entrés dans le salon. Ils étaient accompagnés de leur nouvelle amie, Suzy, une éleveuse de Pokémon, et de Vulpix, le Pokémon préféré de Suzy.

« Ash a essayé de nous impressionner. Il a dit qu'il n'échangerait pas Misty contre Pikachu. Brock et lui voulaient plutôt se battre.

« Ça ne posait aucun problème, parce que j'avais eu la bonne idée d'installer une aire de combat dans le salon. J'ai enfoncé un bouton, et une magnifique plate-forme est sortie du plancher. On aurait vraiment dit une passerelle pour un défilé de mode. Le son et lumière Team Rocket, le bataillothon Pokémon, tout pouvait commencer!

« J'ai appelé Ekans et Koffing. Pour l'occasion, les deux portaient des vêtements haute couture commandés directement de Paris. Ils étaient adorables.

« Ash a appelé Pikachu. Brock a appelé Geodude, son Pokémon rocher. C'est Geodude qui a agi le premier. Le puissant rocher a volé au-dessus de la plate-forme de combat et s'est écrasé sur Ekans. Mais Ekans était prêt à relever le défi. Il a attrapé sa queue dans sa gueule et a roulé comme une roue tout autour de la plate-forme à

une vitesse effrénée et a foncé
sur Pikachu avec une force
remarquable... et un style
remarqué. Pikachu n'a rien
vu venir.

« Pikachu a tenté de se
défendre avec un coup de
tonnerre. Mais son attaque
était si faible qu'elle n'a fait
aucun dommage ni à Ekans,
ni à Koffing. James a ordonné à Koffing de
projeter de la boue empoisonnée et, en un éclair,
Pikachu et Geodude ont été couverts de boue. Pas
très chic!

« Ekans et Koffing se sont apprêtés à donner le
coup de grâce. Il y a eu un petit cafouillage
lorsqu'ils se sont empêtrés dans leur costume.
Mais ils ont réussi à s'en sortir.

« Pikachu et Geodude étaient toujours couverts
de boue. Ils ont dû abandonner. La victoire était à
nous! » Jessie sourit d'un air triomphant.

James tape sur l'épaule de Jessie. « À eux,
Jess, dit James. Il me semble que tu as oublié
quelque chose : c'est que nous avons perdu cette
bataille.

— Qu'est-ce que tu veux dire? demande Jessie

d'un air hargneux. C'est mon plus grand triomphe.

— Je crois que c'est plutôt ton plus grand échec, réplique James. Souviens-toi, Suzy, l'amie de Ash, a appelé son Vulpix. Ce Pokémon a l'air d'un petit renard bien ordinaire, mais il est très puissant. Son tourbillon de feu nous a complètement anéantis... encore une fois.

— C'est bizarre, dit Jessie. Je ne me souviens pas du tout de cela.

— Alors, peut-être vas-tu te souvenir d'autre chose, dit James. La fois où j'ai tenu Pikachu dans mes mains! »

7

La fin de Team Rocket?

« Ta boutique de haute couture n'était rien à côté de mon plan génial, commence James. J'avais eu l'idée d'embaucher quelqu'un pour capturer Pikachu à notre place.

« Meowth avait lu un article sur un expert en capture de Pokémon, poursuit James. Un gamin appelé Snap.

« Mais comme toujours, Meowth avait mal compris. Snap était un expert pour capturer des Pokémon... sur pellicule. Il était photographe, pas dresseur. Comme toujours, nous étions perdus au milieu de nulle part — sans Pikachu.

« C'est alors que j'ai eu l'idée de creuser un piège. On pourrait ainsi capturer le Pokémon nous-mêmes. Nous avons creusé un trou profond, au milieu du chemin, et l'avons recouvert de terre molle. Nous nous sommes ensuite cachés derrière les buissons pour attendre.

« Mon plan a fonctionné comme un charme. Ash et sa bande de gringalets marchaient sur la route, sans se douter qu'ils étaient en présence d'un pouvoir démoniaque. Ils sont tombés dans le piège, exactement comme je l'avais prévu. »

Meowth le regarde, abasourdi. « Mais ça n'a pas fonctionné du tout! proteste-t-il. Tu avais creusé le trou juste à l'emplacement d'une vieille conduite d'eau. Quand Ash et Pikachu sont tombés dans le trou, la conduite s'est rompue, et l'eau les a emportés.

— C'était ça, mon plan, réplique James. L'eau a transporté Ash et Pikachu tout en haut d'une chute. Snap a tenté de les sauver en lançant la courroie de son appareil-photo à Ash. Ash a réussi à attraper la courroie, et Pikachu s'est agrippé à son dos. Leur vie ne tenait qu'à un fil — et je trouve ça fantastique!

« J'ai donné à Meowth un filet à l'épreuve des
Pikachu, muni d'une longue poignée que j'avais
fabriquée moi-même. Meowth s'est approché de la
chute et a utilisé le filet pour cueillir Pikachu, qui
était encore sur le dos de Ash. C'était de toute
beauté. Nous étions bien en sécurité sur la rive.
Pikachu était prisonnier du filet, entre nos mains.
Et cet imbécile de Ash était suspendu au-dessus
de la cascade. »

James pouffe de rire. « Ash semblait vouloir

une bonne gorgée d'eau bien froide. Pour lui faciliter les choses, je lui ai lancé une petite bombe de ma fabrication. Ash a été emporté par la chute et est sorti de notre vie à jamais! »

Jessie donne une bonne claque derrière la tête de James. « Ce n'est pas ça du tout. C'est ta stupide petite bombe qui a tout fait rater!

— Jessie a raison! approuve Meowth. Ash a réussi à te tromper. Tu tenais la bombe dans ta main. Ash a attrapé l'appareil-photo de Snap et nous a demandé de poser pour la photo. Pendant que nous posions, la bombe faisait tic tac, puis elle a explosé! Nous avons été plutôt secoués.

— Mais Pikachu n'a rien eu, comme toujours, dit Jessie. Snap a tiré Ash hors de l'eau. Puis Ash a envoyé Bulbasaur pour sauver Pikachu. Bulbasaur a utilisé son attaque de feuilles coupantes pour déchirer le filet et libérer Pikachu. Puis Bulbasaur a utilisé son fouet de lianes pour nous frapper! »

Meowth se frotte la queue. « J'ai encore mal rien que d'y penser! dit-il.

— Nous avons perdu cette bataille. Nous avons perdu Pikachu, hurle Jessie avec colère. Et tout ça par ta faute!

— Ma faute? rétorque James. Au moins, je n'ai

pas échafaudé un plan stupide comme la
boutique de haute couture. En quoi cela devait-il
nous aider à attraper Pikachu?

— Oui, en quoi? renchérit Meowth.

— Tais-toi! matou miteux, répond Jessie. Mes
plans fonctionneraient à merveille si tu ne
passais pas ton temps à semer la pagaille!

— Les miens aussi, insiste James.

— Eh bien, si c'est ce que vous croyez, dit

Meowth, j'imagine que vous n'avez pas du tout besoin de moi.

— Je n'ai besoin d'aucun de vous deux! s'écrie Jessie.

— Moi non plus! répond James.

— Eh bien, tout est dit, conclut Jessie. À partir de maintenant, nous irons faire le mal chacun de notre côté. »

James approuve. « Fini Team Rocket! »

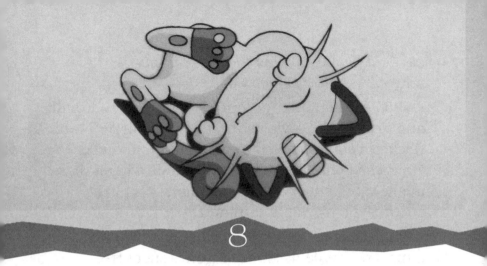

8

Souvenirs

« Je trouve que c'est parfait! » hurle Meowth. Et il tourne le dos à Jessie et James.

« Moi aussi! » dit James. Et il se dirige vers un coin.

« Je n'ai pas besoin de Team Rocket, de toute façon », ajoute Jessie. Elle s'assoit sur une caisse de bois et se cache le visage dans les mains.

Les trois ex-membres de Team Rocket fulminent en silence.

Les mots qu'elle vient de prononcer résonnent encore dans la tête de Jessie. *Je n'ai pas besoin de Team Rocket, de toute façon,* pense-t-elle. *Ma*

vie était beaucoup plus facile avant que je rencontre James et Meowth.

Puis elle soupire. Au fond de son cœur, elle sait que c'est faux. Sa vie avant la formation de Team Rocket n'était pas bien amusante. Quand elle était une petite fille, elle n'avait aucun jouet. Pas même une petite poupée Pokémon. Et, pire encore, elle n'avait aucun ami.

Puis elle a rencontré James et elle n'a plus jamais été seule. Ensuite, ils ont rencontré Meowth, et leur vie d'équipe diabolique a vraiment pris son envol. La vie d'un voleur de Pokémon notoire est prestigieuse et excitante. C'est beaucoup plus amusant que de désirer de stupides poupées Pokémon.

Mais, maintenant, c'est fini, pense Jessie avec tristesse.

Dans son coin de la cave, James pense lui aussi à sa vie avant Team Rocket.

Jess et Meowth sont tellement exaspérants, pense-t-il. *Mais ils ne sont pas si désagréables que ce qui m'attend à la maison.*

La maison de James est un manoir immense et magnifique. James peut retourner chez lui n'importe quand et vivre dans le luxe. Il n'a qu'un seul problème.

Les parents de James veulent qu'il se marie. Et la femme qu'ils ont choisie pour lui est terrible. Jessebelle ne veut jamais qu'il s'amuse. Elle ne veut pas qu'il voyage et qu'il fasse trembler tous les dresseurs de Pokémon. Jessebelle veut changer James, elle veut qu'il devienne quelqu'un qu'il n'est pas. Elle essaie toujours de lui apprendre les bonnes manières et lui dit toujours quoi faire. Jessie et Meowth aiment James tel qu'il est.

Du moins, la plupart du temps.

Mais à quoi bon, pense James. Il soupire. *Je crois que tout ce qui me reste à faire, c'est retourner à la maison et faire face à mes parents — et à Jessebelle.*

Au même instant, Meowth fixe les murs froids de la cave. *Jessie et James me mettent tout sur le dos,* pense-t-il. *Ils n'apprécient tout simplement pas tout le travail que je fais pour eux.*

Meowth se souvient de la première fois qu'il a rencontré Jessie et James. Meowth vivait dans les rues de la grande ville, où il avait rencontré une jolie Pokémon appelée Meowzy.

Meowth a eu le coup de foudre. Il a tout essayé pour impressionner Meowzy. Mais rien ne fonctionnait. Meowzy ne voulait rien savoir d'un Pokémon de gouttière.

Puis Meowth a eu une idée. Meowzy admirait beaucoup les humains. Alors, Meowth a fait tout ce qu'il pouvait pour devenir semblable à un humain. Il a appris à marcher sur deux pattes. Puis il a pris des cours pour apprendre à parler. Après bien des efforts, Meowth a finalement réussi à parler.

Meowth était certain que Meowzy le remarquerait enfin. Mais Meowzy est restée indifférente. À la place, elle est tombée amoureuse d'un infect Persian! Après tout ce que Meowth avait fait pour elle.

Meowzy a fui Meowth. Tous les autres Pokémon trouvaient Meowth vraiment trop bizarre. Mais pas Jessie et James. Ils ont sorti Meowth des quartiers mal famés. Ils l'ont accepté dans leur équipe. Et, contrairement à Meowzy, ils ne lui ont jamais fait sentir qu'il était un vilain chat de gouttière.

Ces deux-là ne m'ont jamais laissé tomber, pense Meowth. *Je ne peux pas les quitter maintenant.*

Meowth se retourne et se racle la gorge. « Euh, les amis, je pensais que... »

Jessie se précipite sur lui et le serre dans ses bras.

« Ne dis rien! Je suis de ton avis.

— Si vous pensez à remettre Team Rocket sur pied, ne m'oubliez pas! » s'écrie James.

Il serre Jessie et Meowth bien fort dans ses bras.

Tous les trois se font l'accolade et pleurent de joie. Puis Jessie recule d'un pas.

« Holà! Mais vous êtes aussi ridicules que Ash, vous deux! dit-elle.

— En parlant de Ash, il m'a semblé entendre sa voix! » dit James.

À l'extérieur du gym, ils entendent Ash appeler Togepi.

« *Meowth,* Ash est de l'autre côté du mur, s'écrie Meowth.

— J'imagine qu'il est venu au gymnase pour lancer un défi, dit Jessie.

— Et en tant que chef de gym, nous nous battrons contre lui, ajoute James.

— Et nous volerons Pikachu! conclut Meowth d'un ton joyeux. Mais nous devons tout d'abord sortir de cette cave.

— On dirait bien que le moment est venu pour Team Rocket de trouver une nouvelle idée géniale », ajoute James.

Jessie court vers l'ordinateur. « Il faut arrêter de perdre notre temps et trouver une solution », dit-elle. Jessie appuie sur quelques touches du clavier. Un plan de l'édifice apparaît à l'écran.

« Selon ce plan, il y a une autre porte qui mène à la cave, dit James. Et elle est en plein... »

James lève les yeux. Tout à côté de l'écran d'ordinateur se trouve une porte de bois sur laquelle est inscrit SORTIE.

« ... ici, termine James d'une voix faible.

— Elle a toujours été là! fait remarquer Meowth.

— Ça n'a plus d'importance, maintenant, dit Jessie. Ce plan est intéressant. En apportant quelques changements mineurs, je crois que nous pouvons modifier le gymnase de façon à nous assurer de battre Ash!

— Un gymnase piégé! s'exclame James. Oh Jess, tu es géniale!

— C'est le moment de passer à l'action, intervient Meowth. Si nous travaillons ensemble, nous serons les plus forts.

— Et bientôt... ajoute Jessie.

— ... Pikachu sera à nous! » termine James.

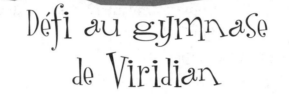

9

Défi au gymnase de Viridian

Dans la cave du gymnase de Viridian, Jessie, James et Meowth échafaudent un plan diabolique.

Pendant ce temps, à l'extérieur du gymnase, Ash, Brock, Misty et Pikachu sont toujours à la recherche de Togepi.

« Togepi s'est volatilisé! » s'exclame Brock.

Misty jette un regard noir à Ash. « S'il lui arrive quelque chose, je ne te le pardonnerai jamais! » dit-elle.

Ash est effondré. « On finira bien par le retrouver », dit-il d'un air peu convaincu.

« *Pi pi pi!* » s'écrie Pikachu.

Une toute petite voix répond.

« *Togi, togi!* »

« On dirait que ça vient de l'intérieur du gymnase! » s'écrie Ash. Ses amis et lui courent vers l'entrée du gymnase. Les gardes ont disparu. Les amis ouvrent les lourdes portes. Togepi est là, dans l'entrée. Il pépie et bat des bras joyeusement en voyant ses amis.

Misty prend Togepi dans ses bras.

« Dieu merci, tu n'as rien! » dit-elle.

Mais Brock est inquiet. « Quelque chose ne tourne pas rond. C'cst beaucoup trop silencieux ici. Gary avait pourtant demandé un combat de Pokémon. »

Ash, Misty et Pikachu regardent à l'intérieur du gymnase sombre. On dirait qu'il y a des corps étendus sur le plancher du gymnase.

Ash court vers l'une des formes étendues. C'est Gary!

Brock et Misty courent au chevet des meneuses de claque de Gary. Elles sont toutes immobiles sur le sol, comme si elles avaient été paralysées.

« Gary, est-ce que ça va? » interroge Ash en soulevant la tête de Gary.

Gary ouvre les yeux.

« Gary, que s'est-il passé? » demande Ash.

Gary se met à parler lentement. « C'est un Pokémon que nous n'avions jamais vu auparavant qui a fait ça, explique Gary. De toute ma vie, je n'ai jamais rencontré un Pokémon aussi puissant.

— C'est impossible! intervient Brock. »

Gary hoche la tête. « Et pourtant, c'est bien vrai. Il se passe des choses étranges dans ce gymnase. On dirait que toute la place est sous l'emprise d'un pouvoir maléfique. Un pouvoir comme celui de...

— Team Rocket! » s'exclame Misty.

Ash se retourne vivement. Les lumières du gymnase s'allument toutes en même temps. Jessie et James entrent dans la pièce et montent sur une petite plate-forme rouge qui se trouve à l'autre extrémité du gymnase.

« Ennuis en vue, dit Jessie.

— Je dirais même : gros ennuis en vue! » ajoute James.

Jessie et James lancent ensuite leur cri de bataille :

« Pour protéger le monde de la dévastation.

Pour unir tous les peuples au sein de notre

nation.

Pour dénoncer le fléau de la vérité et de l'amour.

Pour étendre notre pouvoir jusqu'aux étoiles... »

« Oh non, ce sont eux! grogne Ash.

— Encore eux! » ajoutent Brock et Misty.

Jessie s'énerve. « Hé, bande de minables, vous ne pouvez pas vous empêcher de nous interrompre! se plaint-elle.

— Nous connaissons la chanson, répond Misty. C'est toujours la même chose! »

Jessie sourit d'un air coquin. « Oh, mais aujourd'hui, c'est différent.

— Il s'est passé quelque chose... et vous allez être très jaloux! » rigole James.

Une balle scintillante descend du plafond du gymnase. La balle s'ouvre, et Meowth en sort dans une pluie de confettis. Les confettis — et Meowth — tombent sur Jessie et James.

« Célébrons! s'exclame Meowth. Nous venons tout juste d'avoir une importante promotion.

— C'est vrai, explique James. Nous sommes tous les trois les nouveaux chefs de ce gym! »

La nouvelle frappe Ash, Brock et Misty de stupeur.

« Vous? Chefs de gym? » demande Ash, incrédule.

Jessie fait signe que oui. « C'est bien ça, confirme-t-elle. Le patron nous a nommés responsables du gymnase il y a un petit moment. Il a eu une urgence.

— Je suis certain que cela est directement lié avec l'étrange Pokémon », dit Gary.

Jessie poursuit. « Non seulement sommes-nous responsables du gymnase, mais en plus nous sommes responsables de l'écusson de terre! »

Elle tient dans sa main la pierre verte scintillante.

« Le patron? L'écusson de terre? bredouille Ash. Ça veut dire que ce gymnase est sous le contrôle de Team Rocket?

— Tu l'as dit! dit James. Notre patron est chef de ce gymnase. Et maintenant nous sommes vos patrons! Si vous voulez gagner un écusson de terre, vous devez gagner un combat contre nous. »

Ash s'avance d'un pas. « C'est justement ce que je m'apprêtais à faire! » dit-il.

Jessie éclate de rire. « Eh bien, avance dans l'aire de combat, nous sommes prêts à te recevoir. »

Jessie appuie sur un bouton qui se trouve sur

le rail qui entoure la plate-forme. La plate-forme rouge commence à s'élever dans les airs. Bientôt, Jessie se trouve à près de cinq mètres au-dessus du sol.

Au même instant, une plate-forme bleue commence à s'élever près de Ash.

« Ne saute pas dessus, Ash, le prévient Misty. C'est un piège.

— Oui, il est sûrement piégé! » renchérit Brock.

James ricane. « Si tu abandonnes maintenant, tu n'obtiendras pas ton écusson de terre, dit-il.

— Est-ce que j'ai l'air de quelqu'un qui abandonne? » demande Ash.

Il montre l'échelle à l'arrière de la plate-forme. Bien au-dessus du plancher du gymnase, il fait face à Jessie, qui se trouve à l'autre bout du gymnase.

« Qu'est-ce que tu dirais de commencer avec trois Pokémon chacun, sans limite de temps? propose Jessie.

— Très bien », répond

Ash. Il détache l'une des Poké Balls de sa ceinture. « Que le combat commence! »

Jessie lance les trois Poké Balls que le patron lui a données.

Pouf! Machamp apparaît. Ce Pokémon rocher gris possède quatre bras puissants.

Pouf! Kingler apparaît. Ce Pokémon d'eau orange ressemble à un crabe géant, muni de pinces acérées.

Pouf! Rhydon apparaît. Ce robuste Pokémon ressemble à un rhinocéros qui marcherait sur deux pattes. Il a une longue corne pointue sur le museau.

Jessie sourit, satisfaite.

« Ça va être du gâteau.

— Et n'oublie pas nos armes secrètes! » chuchote

Meowth plutôt fort.

« Fais attention, crie Brock à Ash. Ils manigancent quelque chose.

— D'accord, répond Ash. Mais tout d'abord, il faut que je choisisse un Pokémon. »

Ash lance un Pokémon dans les airs.

« Squirtle! s'écrie Ash. Je te choisis! »

Squirtle apparaît dans un éclair de lumière. Ce Pokémon d'eau ressemble à une mignonne tortue inoffensive, mais Ash l'a bien entraîné. Squirtle sait vraiment se battre. Jessie se contente de rire. « Squirtle? Tu n'as rien de mieux? » Elle se retourne vers Machamp. « Machamp! Coups de karaté! » ordonne-t-elle.

Machamp se rue sur Squirtle et commence à lui donner des coups de karaté avec ses bras puissants.

Squirtle grogne à chaque coup reçu. Au même instant, Ash ressent un choc lui parcourir le corps. Sa plate-forme est traversée par un éclair électrique.

Ash gémit et attrape la rampe devant lui. Il peut à peine se tenir debout.

« Qu'est-ce qui se passe? » demande Misty.

James sourit. « C'est l'un des ingénieux ajouts que nous avons apportés au gymnase, explique-t-il. Sur cette plate-forme, l'entraîneur peut ressentir la douleur en même temps que son Pokémon! »

La bataille fait rage

« Veux-tu abandonner maintenant, minus? » demande Jessie.

Ash secoue la tête. « Jamais », dit-il d'une voix faible.

Gary s'adresse à Ash. « Essaie un autre Pokémon, Ash, lui suggère-t-il. Squirtle ne pourra pas vaincre Machamp. Il est trop puissant. »

Ash acquiesce. Il lance une autre Poké Ball dans l'aire de combat.

« Bulbasaur! Vas-y! »

Un Pokémon des champs apparaît. Bulbasaur ressemble à un petit dinosaure qui a un bulbe sur le dos.

Jessie fronce les sourcils. « Alors, je choisis Kingler! »

Kingler et Bulbasaur courent l'un vers l'autre et se font face au milieu du gymnase.

« Bulbasaur! Fouet avec la liane! »

Le bulbe sur le dos de Bulbasaur s'ouvre. Quatre solides lianes vertes fouettent Kingler.

« Kingler! Durcissement! » commande Jessie.

Une carapace solide se forme autour du corps de Kingler. Les lianes frappent la solide carapace sans causer de dommage.

« Kingler! Jet de bulles! » hurle Jessie.

Kingler se met à projeter des bulles par la bouche. Des bulles aussi dures que des roches frappent Bulbasaur.

« Aïïïïïïïïïïïe! » se plaint Ash. Chaque fois qu'une bulle frappe Bulbasaur, il ressent une douleur fulgurante dans tout le corps. Il se laisse tomber sur les genoux.

« Ash, tu ne peux pas gagner! lui dit Gary.

Ces Pokémon sont trop forts. »

James et Meowth sautent de joie. « Nous allons gagner! Nous allons gagner! » scandent-ils.

Mais Ash se relève lentement. Il a un regard déterminé.

« Je n'abandonnerai pas, dit-il. Je ne peux plus abandonner maintenant. Et j'ai confiance en mes Pokémon. »

Ash prend une autre Poké Ball. « Nous allons réussir! »

Gary regarde Ash. « Peut-être qu'il peut réussir », murmure-t-il avec admiration.

Ash lance la Poké Ball.

« Pidgeotto! Attaque rapide! » ordonne-t-il.

Pidgeotto jaillit de la Poké Ball. Le Pokémon qui ressemble à un oiseau vole dans les airs et fonce sur Rhydon. Avec son bec, il donne un gros coup sur la poitrine de Rhydon.

Au même instant, une décharge électrique illumine la plate-forme rouge. Jessie sursaute parce que ses pieds picotent.

« Pidgeotto! Attaque à double tranchant! » ordonne Ash.

Pidgeotto se rue sur Rhydon à maintes reprises et le frappe de son bec acéré et de ses ailes

puissantes. Les coups sont si rapides que Rhydon n'a pas le temps de réagir.

Tout en haut, sur la plate-forme rouge, Jessie hurle de douleur, traversée de chocs électriques.

« James, pourquoi as-tu réglé la machine pour qu'elle donne des chocs des deux côtés? » s'écrie-t-elle.

James hausse les épaules. « Je ne pensais pas que cela avait de l'importance, répond-il. Je ne pensais jamais que nous pourrions perdre!

— Eh bien, éteins tout! » hurle Jessie.

James semble paniqué. « Je ne sais pas comment! »

Meowth sort une petite boîte de contrôle de derrière son dos. La boîte a un bouton rouge et un bouton bleu.

« Ne t'en fais pas, James, dit Meowth. Heureusement, j'ai fabriqué ce petit gadget au cas où nous perdrions. Tu n'as qu'à enfoncer le bouton bleu pour dire au revoir à la concurrence! »

Meowth met son doigt sur le bouton bleu.

Gary se rue sur Meowth.

« Arrête immédiatement! » s'écrie-t-il.

Gary plaque Meowth. La boîte de contrôle

échappe des mains de Meowth et s'écrase sur le plancher.

Gary et Meowth sont prêts à se battre. Mais ils s'arrêtent au son de la voix de Jessie.

« Team Rocket n'est pas près de perdre ce combat! hurle-t-elle. Ensemble, nous sommes les plus forts, n'est-ce pas les gars?

— Tout à fait! » approuvent Meowth et James.

Jessie prend deux Poké Balls de sa ceinture.

« Tous les Pokémon attaquent en même temps! » s'écrie-t-elle. Elle lance des Poké Balls. « Va, Arbok! Va, Weezing! »

Deux autres Pokémon apparaissent sur le plancher du gymnase. Arbok siffle. Weezing flotte dans les airs.

« Tu ne peux pas utiliser de nouveaux Pokémon maintenant, proteste Misty. C'est contre le règlement!

— C'est moi qui décide du règlement dans ce gymnase, réplique Jessie.

— Eh bien, si c'est le règlement, alors je peux utiliser moi aussi un nouveau Pokémon, dit Ash. Va, Pikachu! »

Pikachu s'élance dans l'aire de combat. Il saute et atterrit sur le dos de Arbok. Pikachu lance une puissante décharge électrique avec son corps. La lumière jaune électrifie Arbok. Puis les faisceaux d'électricité sont projetés et touchent Weezing.

Sur sa plate-forme rouge, Jessie hurle parce qu'elle se fait électrocuter, elle aussi.

Pikachu lance sa puissante décharge d'un bout à l'autre du gymnase. Machamp, Kingler et Rhydon goûtent aux immenses pouvoirs électriques de Pikachu. Ils s'évanouissent en tas sur le sol.

Ash lance un cri de victoire. « Nous avons réussi! s'écrie-t-il. Nous avons gagné le combat! »

11

L'arme secrète de Team Rocket

Les meneuses de claque de Gary félicitent Ash en chantant :

« C'est notre Ash qui a gagné!

C'est une victoire à célébrer!

Il a vaincu! C'est le meilleur!

C'est un héros! Rien ne lui fait peur! »

Ash descend de la plate-forme. Squirtle, Bulbasaur, Pidgeotto et Pikachu s'élancent vers lui. Il les serre tous dans ses bras.

« Vous vous êtes tous bien battus, dit Ash. Je suis très fier de vous. »

James et Meowth montent sur la plate-forme pour aider Jessie. Elle est étendue sur le sol. Arbok et Weezing sont immobiles, à ses côtés.

« Jessie, m'entends-tu? demande James avec inquiétude.

— Peux-tu bouger? » demande Meowth.

Jessie s'assoit. « Je suis chanceuse de pouvoir encore respirer après tout ce que vous m'avez fait subir! Comment se fait-il que j'ai reçu des chocs? C'est encore un de vos plans stupides?

— Mais Jess, répond James, je croyais que nous formions une équipe, tu te souviens? Nous avons tous participé à ce plan. »

Jessie se lève et le regarde bien en face. « Tu n'es pas gêné d'essayer de me blâmer — »

« Hé Jessie! » s'écrie Ash.

Jessie et James arrêtent de se disputer.

« J'ai gagné le combat, il n'y a pas de doute là-dessus, dit Ash. Je veux l'écusson de terre que j'ai gagné. »

Jessie sourit d'un air démoniaque. Elle sort l'écusson. « Je n'ai pas envie de te le donner, le taquine-t-elle.

— Hé! Mais tu triches! dit Ash.

— C'est que je suis une tricheuse! réplique Jessie.

— Génial, Jess, intervient James. Nous possédons quelque chose que Ash veut. Et Ash a quelque chose que nous voulons. Peut-être pourrions-nous obtenir Pikachu pour le patron, après tout.

— Nous formons vraiment une équipe formidable », conclut Meowth. Puis il s'interrompt.

« *Togi, togi.* »

Meowth regarde en bas. Togepi saute sur la boîte de contrôle qui se trouve sur le plancher. Il met une de ses minuscules mains sur le bouton rouge.

« Stop! hurle Meowth. Éloigne-toi de cette boîte!

— Qu'est-ce qui se passe? demandent Jessie et James à l'unisson.

— Eh bien, le bouton bleu devait faire exploser la plate-forme de Ash, répond Meowth. Et le bouton rouge fait exploser... »

Togepi appuie sur le bouton rouge.

« ... notre plate-forme! » s'écrie Meowth.

Une formidable explosion ébranle la plate-forme. Un épais nuage de fumée s'élève dans les airs. La plate-forme décolle du plancher comme une fusée.

Team Rocket est en route pour de nouvelles aventures! s'écrient James, Jessie et Meowth.

La plate-forme traverse le toit du gym. Jessie échappe l'écusson de terre, qui tombe dans la main de Ash.

« J'ai enfin obtenu mon écusson de terre! » dit Ash fièrement.

Bien haut dans le ciel, Team Rocket traverse les nuages.

« On dirait bien que Team Rocket a tout raté, encore une fois, dit James. Peut-être que le patron a raison.

— Ne fais pas ton drôle, James, répond Jessie. Nous avons réussi à amener Ash où nous voulions qu'il soit. Nous ne sommes jamais passés si près de vaincre ce minus. Et tu sais ce que ça signifie... »

Le visage de James s'éclaire. « Ça signifie que, la *prochaine* fois, nous attraperons Pikachu... c'est certain! »

Bientôt...

POKÉMON N° 6

Vas-y, Charizard!

C'est le combat le plus important dans la vie de Ash. Il ne veut pas perdre. Il faut combattre le feu par le feu, mais Ash peut-il faire confiance à Charizard dans un combat? Ash avait trouvé un Charmander sauvage et l'a fait évoluer en Charizard, mais Charizard est têtu et n'écoute jamais Ash.

Dans le feu de l'action, Charizard se battra-t-il pour Ash?

À propos de l'auteure

Tracey West écrit des livres depuis plus de dix ans. Lorsqu'elle ne joue pas avec la version bleue du jeu Pokémon (elle a commencé avec un Squirtle), elle aime lire des bandes dessinées, regarder des dessins animés et faire de longues balades dans la forêt (à la recherche de Pokémon sauvages). Elle vit dans une petite ville de l'État de New York avec sa famille et ses animaux de compagnie.